Bébé Koala
À la ferme

Directeur : Sarah Koegler-Jacquet
Direction éditoriale : Brigitte Leblanc
Responsable artistique : Solène Lavand
Responsable éditoriale : Sylvie Michel
Assistante d'édition : Elodie Gradoz
Fabrication : Anne-Laure Soyez
Mise en page : Sonia Blanchard

58, rue Jean Bleuzen – CS 70007 – 92178 Vanves
ISBN : 978-2-01-398074-6. Dépôt légal : avril 2017 – Édition 03.
Imprimé en Espagne par Macrolibros. Achevé d'imprimer en août 2018.
Loi n° 49-956 du 16 juillet 1949 sur les publications destinées à la jeunesse.

PAPIER À BASE DE FIBRES CERTIFIÉES

hachette s'engage pour l'environnement en réduisant l'empreinte carbone de ses livres. Celle de cet exemplaire est de : 200g éq. CO_2
Rendez-vous sur www.hachette-durable.fr

Nadia Berkane

Alexis Nesme

Bébé Koala

À la ferme

Les albums Hachette

KOKOLALA-2000

Aujourd'hui, c'est dimanche. Maman et Papa ont décidé d'emmener Bébé Koala à la ferme. Quelle chance ! Dans la voiture, Allistair le hamster, un tantinet froussard, se blottit contre son amie.

Dans la basse-cour, Bébé Koala
s'approche des poules et des poussins,
un panier à la main…
« Merci beaucoup pour vos œufs,
madame Poule », dit Bébé Koala.

Allistair n'a pas l'air rassuré,
il crie à Bébé Koala :
« Attention à cette grosse poule,
là, derrière toi, elle va te manger !
– Ah ! Ah ! Quelle poule mouillée, cet
Allistair ! » répond Bébé Koala, amusée.

En s'arrêtant devant le clapier,
Bébé Koala propose une carotte
à un petit lapin qui semble avoir
une grande faim…
« Non, Bébé Koala ! ce lapin va te
croquer la main », s'écrie Allistair.

Derrière le petit enclos, des cochons se tortillent dans la boue. Quand, tout à coup, les voilà qui accourent pour renifler le maïs que Bébé Koala leur a apporté. « Tu es sûre que ce n'est pas risqué ? » demande Allistair encore un peu inquiet.

Dans le pré d'à côté, Bébé Koala rencontre une jolie vache tachetée…
« Bonjour, madame Vache, je suis venue chercher un peu de lait pour le goûter, vous permettez ? » demande-t-elle.

Allistair est effrayé :
« Au secours, elle va te dévorer !
– Tu sais, si tu es gentil avec eux,
les animaux n'ont pas de raison
de s'en prendre à toi », lui explique
doucement Maman Koala.

Ni une, ni deux… Allistair le peureux joue les téméraires. Et hop ! le voilà qui saute sur le dos de la vache,

se dandine, fait des cabrioles puis
dégringole, patatras ! dans le pot
de lait de Bébé Koala.

« Glou, glou ! c'est bon ! dit ce glouton d'Allistair en gonflant ses bajoues.
– Alors, poule mouillée, te voilà rassuré ? » demande Bébé Koala.
Pfff ! Allistair éclate de rire en arrosant sa fermière préférée.

Retrouve tous les titres de la collection :

Et aussi :

- Le cirque
- La varicelle
- Une copine à la maison
- Bébé Koala fait la cuisine
- Bébé Koala fait les courses